LP

carafes et alambics

les mots du vin

et autres boissons

texte : Frédéric Duhart
illustrations : Jean Yves Grall

responsable d'édition : Nathalie Piquart
coordination rédactionnelle : Marie-José Brochard
lecture-correction : Annick Valade et Anne-Marie Lentaigne
conception graphique et mise en page : Hélène Lemaire

© 2007, Dictionnaires Le Robert, 25, avenue Pierre-de-Coubertin, 75013 Paris
ISBN : 978-2-84902-433-1

Avant-propos

Les animaux s'abreuvent ; les sociétés savent boire. En effet, si les hommes doivent ingérer quotidiennement une quantité de liquide suffisante pour rester en vie, ils le font sous des formes qui sont éminemment culturelles. Tous les groupes humains ne possèdent pas les mêmes seuils de tolérance à la soif, les mêmes façons de boire ou les mêmes représentations des boissons. L'homme est d'ailleurs le seul être vivant capable de boire sans avoir soif par goût, par recherche d'un réconfort ou par quête d'absolu. De carafes en alambics, les mots de la boisson nous invitent donc à penser les civilisations. Que la tournée commence !

1

Façons
de boire

5

La soif de l'homme **Pour l'homme comme pour les animaux, boire est une question de survie.** Plus vite encore que la faim, la soif insatisfaite expose à d'horribles souffrances et conduit irrémédiablement à la mort. Rien n'est donc plus naturel que de voir un Lorrain **tosser** le lait de sa mère puis diverses boissons tout au long de son existence. Dans de nombreuses régions françaises, des mots rappellent que l'homme et les animaux connaissent cette même nécessité de boire. En Bourgogne, par exemple, le verbe **cheûler**, originellement employé par les éleveurs pour signifier qu'un veau tétait mal, est ensuite venu qualifier l'action du bébé en train de téter et plus largement celle des enfants qui aiment boire à tout propos. Si de tels bambins *toujours en train de cheûler* peuvent agacer leurs parents, leur soif insatiable n'en est pas moins rassurante. Au pire, qu'annonce-t-elle sinon un certain appétit démesuré ? Cela est certes un défaut dans des sociétés paysannes au sein desquelles la frugalité est de rigueur, mais ne donne guère à craindre pour la survie immédiate de l'enfant. D'autres comportements sont, en revanche, bien plus préoccupants. Peu de choses sont notamment aussi angoissantes pour une mère champenoise que voir son bébé **cheûler**, c'est-à-dire manquer d'entrain pour téter.

CHEÛLER Dans le domaine de la boisson, équivaut à siffler. Le *cheulard* est le gros buveur, l'ivrogne. ∎

Boire partout
Du berceau à la tombe, l'homme doit donc boire pour vivre. Impossible pour lui d'échapper à cette obligation, d'où les nombreux objets qu'il dut mettre au point pour satisfaire ce besoin même dans les situations les plus extrêmes. Bien avant que ne fussent inventés les *sacs à boire* des cosmonautes, les malades durablement alités purent compter sur les **canards**, ces récipients à long bec qui permettent de boire couché sans inonder son lit.

Histoires d'eau
Selon les époques et selon les régions, les boissons quotidiennes varient fortement. Néanmoins, partout l'eau joua et continue de jouer un rôle essentiel. Connaissant des conditions matérielles qui restent bien plus difficiles que les nôtres, nos amis congolais préciseraient que le liquide en question n'est pas n'importe quelle eau, mais l'*eau à boire*, cette eau potable. Une eau pour nous si facile à obtenir que nous oublions que ce ne fut pas toujours le cas pour nos ancêtres et qu'elle demeure une denrée précieuse pour beaucoup de peuples dans le monde. Bien des objets, devenus des pièces de musée, rappellent le temps de l'eau rare. Pour avoir de l'eau à boire, il fallait commencer par aller la chercher à la fontaine. Dans les villages comme dans les quartiers, celle-ci devint un haut lieu de sociabilité féminine, parfois une véritable foire aux potins et aux rumeurs… pour la bonne raison que seules les femmes se chargeaient de cette pénible tâche. Après quelques paroles échangées, ménagères et servantes repartaient en chargeant sur

6

POAL Employé dans le Roussillon, ce mot est catalan. C'est le descendant du latin *putealis*, « relatif au puits » (latin *puteus*). Il désigne un seau destiné à tirer l'eau du puits et également un récipient en terre cuite muni d'une anse et d'un bec pour verser le liquide ou boire à la régalade. Ce mot se retrouve en espagnol, *pozal*, et en portugais, *puçal*. ■

leur tête leur *cruche* de terre ou leur **ferrat** de métal ou de bois. Dans les villes, le recours aux services d'un *porteur d'eau* pouvait faciliter la tâche des ménagères ainsi livrées à domicile. Le métier s'éteignit quand des canalisations grimpèrent jusqu'aux étages de la majorité des immeubles. Dans certaines villes d'Afrique subsaharienne, les marchands continuent de proposer à qui la souhaite l'eau qu'ils transportent dans leur **estagnon**. Il fallait aussi veiller à la bonne conservation de cette eau. Dans les grandes demeures bourgeoises de l'époque des Lumières, comme Chardin le représenta superbement, de grandes *fontaines de cuivre* permettaient de stocker mais aussi de filtrer l'eau tirée du fleuve, du puits ou de la fontaine. Dans les intérieurs populaires, quelque cruche suffisait bien souvent à garder l'eau. En ces temps sans réfrigérateur, un récipient en bonne terre cuite, comme le **poal** cher aux habitants du Roussillon, pouvait garantir une certaine fraîcheur.

Boire avec une couade ? Dans un vaste ouest de la France, l'ustensile qui servait à puiser

l'eau dans la cruche était la **couade** (**cassotte, coussotte**), un petit récipient à manche tubulaire. Pour se désaltérer avec un tel instrument, il fallait maintenir la **couade** horizontalement et boire à la régalade le jet qui s'écoulait par sa queue. Cela n'avait, bien sûr, rien d'évident pour un novice ! En effet, se servir d'une **couade** était le résultat d'un apprentissage. Oublieux des premières fois où nous avons bu avec un verre, nous finissons par ne plus nous rendre compte de toutes les

ESTAGNON est un mot provençal. En haute Provence et dans le haut Var, c'est un récipient dans lequel on expédie les essences de fleurs ou les huiles comme le décrit le poète Frédéric Mistral. Il était à l'origine en étain, qui se dit *estanh* en Provence. Le plus souvent en fer blanc, il sert aujourd'hui à transporter de l'huile d'olive mais surtout de l'eau en Afrique subsaharienne. ■

COUADE ET CASSOTTE Ces deux mots désignent le même instrument : une louche pour puiser l'eau, munie d'un long manche tubulaire. Posée sur une surface plane, elle permet de se laver les mains ; tenue en hauteur, elle permet de boire à la régalade. **Couade**, employé surtout en Dordogne et en Gironde, est un dérivé du latin *cauda* signifiant « queue ». **Cassotte** ou **coussotte**, usuel en Gironde mais aussi en Saintonge et dans le Poitou, est de la même famille que casserole et vient du grec *cyathon* signifiant « plat ». ■

conduites acquises qui dirigent nos gestes les plus ordinaires… jusqu'à nous retrouver fort maladroits avec dans les mains les objets qui appartiennent à des cultures d'ailleurs ou d'autrefois. Un Normand habitué à boire son cidre dans une **moque** aurait bien du mal à ne pas éclabousser sa chemise de vin la première fois qu'un Basque lui tendrait son **chahacoa**. Et réciproquement, notre expert de la gourde de peau serait très vraisemblablement décontenancé à l'idée de se voir proposer du cidre dans un bol !

Boissons de tous les jours Aux côtés de l'eau, le vin, le cidre et la bière devinrent

lentement des boissons essentielles dans le quotidien alimentaire du plus grand nombre. Ce phénomène fut lent. Le paysan bourguignon qui, il y a quelques décennies, entretenait une pièce de vigne pour **faire sa boîte**, c'est-à-dire pour ne produire que la quantité de vin nécessaire à la consommation de son ménage, ne doit pas faire oublier que le vin pur ne coula que très peu dans les verres de nombreux paysans français jusqu'au début du XXe siècle. Il restait une boisson associée pour l'essentiel aux jours de fête. Au quotidien, les mieux lotis se contentaient bien souvent de vin largement étendu d'eau… auquel leurs héritiers renoncèrent sans difficulté dès qu'une aisance accrue leur rendit le vin pur accessible. Parfois, la boisson d'autrefois resta dans les mémoires sous un nom peu flatteur. Dans certains coins de Bourgogne, elle fut ainsi baptisée **bismarck**. Ce qui vaut pour le vin est également valable pour le cidre ou la bière. En Normandie, les

BISMARCK En qualifiant une boisson médiocre du nom de l'homme d'État prussien qui fut à l'origine de la perte de l'Alsace et de la Lorraine par la France en 1871, les Bourguignons faisaient preuve d'une ironie aussi subtile que revancharde. Dans certaines campagnes, *Bismarck* fut aussi le nom couramment porté par le cochon de la ferme ! ■

milieux populaires devaient se contenter à l'ordinaire de la **boisson**, issue d'un marc de pomme pressé pour la seconde fois. À Lille, au milieu du XIXᵉ siècle, une modeste lingère ne buvait même pas de la **petite bière**, certes moins chère que la bière de première qualité mais d'une qualité souvent trop médiocre pour qu'il vaille la peine d'en acheter une **canette** (Ardennes), autrement dit un litre.

> **BOÎTE** dérive du verbe *boire*. *Faire sa boîte*, c'est récolter la boisson nécessaire aux besoins d'une année. ∎

Celui qui buvait sans avoir soif

Jusqu'ici nous avons vu l'homme boire pour rester en vie. La diversité des réponses apportées à la soif souligne déjà la caractéristique essentielle du boire humain, de la **buvaison** comme le diraient les Lyonnais : il s'agit d'une réponse éminemment culturelle à une nécessité physiologique. Une dimension particulière de la relation de l'homme aux boissons l'éloigne encore un peu plus de la mécanique biologique. Le gastronome Brillat-Savarin la résuma fort bien en rappelant que l'un des privilèges de l'homme est de boire sans soif, de développer une *soif factice* « véritablement inextinguible parce que les boissons qu'on prend pour l'apaiser ont l'effet immanquable de la faire renaître ». Bien sûr, celui qui boit *comme un trou* ou *comme une éponge* ne **se rince pas le dalot avec de l'eau**, dirait un Québécois. Le plus classiquement, en effet, c'est de l'alcool qu'il *boit comme de l'eau* ! Aujourd'hui, cette soif factice peut également conduire de jeunes Marseillais à **escouber** des litres de boissons. Point de risque d'ébriété ici, mais le fait de boire sans soif et au-delà d'une certaine limite demeure.

10

> **ESCOUBER** signifie également balayer des quantités de liquide. Un bon buveur peut escouber en très peu de temps ! ∎

11

Savoir-boire **Chaque société, mais aussi chacun des groupes** qui la compose, possède ses objets, ses gestes, ses codes et ses investissements symboliques relatifs aux boissons : nous ne buvons pas le thé comme le whisky, et peu de catholiques auraient l'idée de boire de l'*eau bénite* ou du *vin consacré* au cours de leurs déjeuners ! Parfois un aspect de ce savoir-boire est tellement particulier qu'il n'est guère possible d'en parler sans recourir à des mots directement empruntés à la langue dans laquelle il fut d'abord codifié. À Nouméa, dans les années 1950, prendre le thé signifiait avoir recours à une **paniken**, une petite tasse de métal à une anse qui n'était autre chose que l'ustensile que les Britanniques qualifiaient de **pannikin** (petit récipient).

Un volet essentiel du savoir-boire est d'être capable de boire correctement aux yeux de son groupe, c'est-à-dire d'en avoir intégré les différentes manières admises par celui-ci et d'avoir renoncé à celles qu'il rejette.

**SE BENOUILLER
LA CORGNOLE** signifie littéralement « se baigner le gosier ».
Le vocabulaire lyonnais ne manque pas d'expressions équivalentes, ainsi, *s'arroser le gigier* (qui est à la fois le gosier et le ventre).

S'AMOURER dérive de *mourre*, qui signifie visage. ∎

Avec ou sans verre **Loin des regards désapprobateurs,** en passant d'une région ou d'un milieu à l'autre, nous pouvons remarquer qu'il existe en effet une infinité de façons de boire efficacement ou, dirait un paysan du Lyonnais, de **se benouiller la corgnole**. Au plus près de la nature, il est possible de *boire à même la source* ou dans des traces d'eau sans mobiliser autre chose que sa bouche et éventuellement ses mains. Comme le disent les montagnards des Hautes-Alpes, il est également envisageable de

s'amourer, autrement dit, de boire à même le récipient sans recourir à un verre. Quand le contenant est une bouteille, il est assez facile de boire au goulot, ce que ne contesterait pas un Comtois ou un Lorrain habitué à **tosser (trusser)** ou un Champenois ou un Bruxellois à **tuter** ! Un verre, un bol ou un **gobeau** facilite bien souvent la prise de la boisson. À moins qu'il ne soit rempli à ras bord ou qu'il ne soit chaud au point d'obliger un Bourguignon à **boire en bœuf** ou un Comtois à **boire à la vache**, c'est-à-dire sans le toucher pour éviter de le renverser ou de se brûler.

 ## Boire en cadence **La diversité des manières de boire est aussi une question de rythme d'ingestion.** Ainsi que le remarqua le lexicographe Furetière, sous le règne de Louis XIV, il est possible de **buvoter**, de boire par petits coups réitérés. Placé devant un buveur procédant ainsi, un Breton le verrait en train de **barbucher**, un Lyonnais d'**assader** et un Québécois de **téter** ou de **sucer**. Face à de l'eau comme à de l'alcool, d'autres buveurs adoptent une stratégie parfaitement inverse et s'empressent de boire d'un trait. L'habitant de la Belle Province affirmerait alors qu'ils **siphonnent**. Dans un village du Dauphiné, des buveurs aussi décidés ne feraient pas cul-sec mais **cul-blanc** ! En continuant leur promenade dans les régions alpines, s'ils venaient à arriver en Savoie, les gens du cru remarqueraient très certainement la facilité avec laquelle ils **encapent** *les verres* l'un après l'autre. Quant à l'art de boire en aspirant, les Normands estiment que celui qui le pratique **supe**.

« *Torquatus [...] étant à boire, faisait normalement ses rondes du matin, vidait la plus grande quantité d'un seul trait, la plus grande encore par-dessus à petits coups, se montrait le plus loyal à ne pas respirer en buvant et à ne pas cracher, ne laissait pas dans sa coupe assez de vin pour faire du bruit sur le pavé, observateur consciencieux des règles contre les supercheries des buveurs.* »

Pline l'Ancien, *Histoire naturelle*, trad J. André.

Boire proprement **Telles sont quelques-unes des nombreuses façons de boire.** Toutes ont leur efficacité, mais ne sont pas correctes dans tous les contextes culturels, chaque époque, chaque cercle social ayant ses propres règles de bienséance. Les manuels de civilité permettent de découvrir les règles du bien-boire dans les milieux privilégiés d'autrefois. Un traité publié au début du XVIIIe siècle nous dit, par exemple, que, pour boire proprement, il ne faut pas faire du bruit avec le gosier et se garder après avoir bu de reprendre son haleine en poussant « un grand soupir éclatant ». Le caractère détestable et même condamnable de certaines façons de boire apparaît très clairement dans les mots qui les qualifient.

À Poncins, un village du Forez, il n'y a guère que les porcs ingérant la partie liquide de leur pâté et les ivrognes vidant d'un trait leur verre qui **siquent** ! Dans les Ardennes, celui qui **chique** est celui qui boit avec avidité… ou celui qui dilapide ses biens ! Il ne faudrait pourtant pas penser que le monde des buveurs réguliers n'a pas ses règles, son propre bien-boire. En Franche-Comté, quand quelqu'un ne boit pas tout le vin qui lui a été versé, ses compagnons de beuverie peuvent joliment dire qu'il *fait* **péché de cabaret**.

Boire comme il faut **Le savoir-boire est aussi la possession d'un ensemble de codes,** la capacité de réagir de façon appropriée aux différentes situations. Déjà à la fin du XVIIe siècle, quel que soit le milieu, il n'était pas de bon ton de **chinquer** (de

l'allemand *schenken*, « verser [à boire] »), de boire beaucoup en choquant les verres les uns contre les autres et en se portant des santés pour s'exciter à boire. À l'inverse, il serait malvenu de demander un verre d'un prestigieux bordeaux au sein d'un groupe d'Artésiens rassemblés dans un bistrot pour **godailler** ! La bière s'impose en effet dans ce cas précis, car bien boire, c'est aussi faire comme ceux qui vous accompagnent. Selon les régions, les buveurs contractent donc différentes habitudes, même si c'est la simple envie d'être ensemble qui les réunit : ils aiment à *colever un canon* en Velay, à *caler un verre* de rhum à la Réunion, à *boire un filet* (de bourbon) en Louisiane, *à baiser une chopine* en Pays nantais, à *piquer une larme* (d'alcool) en Franche-Comté, etc.

GODAILLER procède de *goed* (bonne) et *ale* (bière) en moyen hollandais. ∎

14

🍷 Servir comme il se doit Celui qui donne à boire doit également faire montre d'un comportement convenable.

Dans la région de Chalon-sur-Saône, un hôte qui **rechausse**, sert à nouveau ses invités, est toujours apprécié. En Bordelais, il en est de même de celui qui ne compte pas les **lançots**, petites rasades supplémentaires de vin ou d'apéritif. Dans le sud-est de la France comme ailleurs, en effet, celui qui aime **licher**, aime souvent **relicher**, boire et reboire. Néanmoins, la société fixe une limite au-delà de laquelle le buveur bascule dans l'excès. Pour un buveur auvergnat, cela signifie que la **gouttiche**, la dernière goutte qu'il boit, doit couler assez tôt, avant qu'il ne soit trop aviné. Ailleurs, les mots changent, mais le risque de se voir classer parmi les ivrognes existe aussi.

Enivrez-vous... **Le jeu avec l'alcool est toujours le même,** qu'il se déroule par pleine assemblée de convives ou dans la solitude d'une chambre. À force de boire, il arrive un moment où commence un « trop-boire » dont les critères sont largement définis par le groupe auquel le buveur appartient. Dans certaines circonstances, ce seuil peut n'être atteint qu'à un stade d'ébriété avancé. Au cours d'une fête en haute Bretagne par exemple, un invité peut **avouiller** longtemps sans que les nombreux verres de vin ou de cidre qu'il ingère ne soulèvent la moindre indignation chez les autres noceurs ! Ici, au contraire, le comportement anormal serait de boire timidement. Absorber en quantité nourritures et boissons, **entonner** dirait-on aux Seychelles, est en effet pleinement admis quand la fête vient faire rupture dans la monotonie du quotidien. Un Québécois peut donc parfois **prendre une tasse**, un Congolais **cuver** ou un Suisse **pintoiller** sans devenir l'opprobre de son entourage. Quand les buveurs partagent un moment de convivialité arrosé, les non-buveurs estiment qu'ils sont déjà en train de trop boire, de **pitancher** (région du Pilat), de **trésir** (Ardèche), de **biber** (Auvergne), de **se boissonner** (Sarthe) ou de **s'en-souzir** littéralement « submerger » (Isère).

Entonner, avouiller, littéralement « remplir le tonneau ».

Trézir, étymologiquement « jeter au-delà », autrement dit *s'en jeter un*. ■

16

Soûl perdu **Il existe bien sûr au trop-boire une limite physiologique,** l'instant où l'on entre dans un état de coma éthylique, dramatiquement atteinte, par exemple, par certains adolescents aquitains lorsqu'ils s'adonnent pour la première fois à la pratique du **botellón**, ce rassemblement dans un espace public où l'alcool coule à flot. D'un buveur quasiment arrivé à ce stade ultime de l'ébriété, un Nantais dirait qu'il est **soûl perdu**. Cette expression, plus encore peut-être que le très usuel *ivre mort*, dit combien l'individu qui entre dans cet état sort des cadres de la société, est perdu pour celle-ci. Aussi, le contrôle social cherche-t-il autant que possible à éviter de telles situations.

De la gaieté à l'aliénation Des mots disent ainsi l'ivresse légère, celle qui n'est que rarement jugée condamnable. En Savoie, le buveur parvenu à ce stade est **tçiouk**, il est **chaudet** au Québec. Parvenus à cette demi-ivresse, les buveurs dotés d'un tempérament joyeux avaient, à la fin du XVIIᵉ siècle, *un vin de singe*, c'est-à-dire qu'ils devenaient gais, dansaient et folâtraient. Leur compagnie était bien plus amusante que celle des buveurs qui *avaient un vin de lion* et cherchaient querelle au moindre motif. En disant qu'une personne **a le grain** lorsqu'elle a un peu bu mais aussi lorsqu'elle est naturellement un peu sotte, les Picards nous rappellent que, même légère, l'ivresse ne grandit pas le buveur. Quand une plus forte ébriété est atteinte, l'individu commence à ne plus être maître de sa personne. Comme le disent les Guyanais, à ce stade-là, le buveur n'est pas seul, l'alcool l'accompagne et le guide. En Lorraine, ceux qui le verraient passer dans la rue en titubant constateraient qu'il *a une bonne charge* ou une *bonne hotte*. Leurs cousins de Louisiane diraient qu'il *tient une bonne brique*. Ailleurs, l'ivrogne ne porte pas de charge… mais se retrouve emprisonné dans divers contenants. Si les Congolais se

17

« *Une expression qui l'amusait et l'effrayait à la fois, revenait assez souvent dans la bouche de Loulou. Le père de Julot, il avait* « *un p'tit coup d'sirop* ». *Cela signifiait qu'il était saoul.* »

Henry Poulaille,
Le Pain quotidien
(1903-1906), 1934.

content de dire qu'il *est dedans*, d'autres francophones l'enferment dans des emballages plus cocasses. Au Québec, il peut *être paqueté* **comme un œuf**, en Provence **être fiole**, en Suisse, **être caisse**…

L'ivresse et le corps **Les effets de l'ivresse sur le buveur sont nombreux.** Tout d'abord, ils sont physiques. À la fin de la fête, un Champenois devra notamment rentrer chez lui en **chamboulant (chambolant)**, un habitant du haut Jura se sentira **chambiller**, chanceler sous l'emprise de l'alcool. Déjà, au XVIIe siècle, Furetière aimait à rappeler qu'un homme ivre a les **dents mêlées** quand il n'est plus capable de parler et que l'une des réponses du corps à l'ingestion d'une trop grande quantité de boisson alcoolisée est de *rendre gorge*.

La notion d'alcoolisme est fort récente puisqu'elle n'est apparue qu'au milieu du XIXe siècle. Avant cette époque, les médecins dénonçaient déjà les risques d'un excès de vin ou d'alcool. Au XVIIIe siècle, le médecin suisse Tissot ne mâchait pas ses mots lorsqu'il fustigeait l'ivrognerie dans son *Avis au peuple sur sa santé*, écrivant qu'elle « tue en détail, dans tous les temps et partout. […] Heureusement la société ne perd rien, en perdant ces sujets qui la déshonorent, et dont l'âme abrutie est, en quelque façon, morte longtemps avant leur corps ». Si cette dernière phrase est fort cruelle, elle a le mérite de rappeler que les principaux dangers auxquels s'expose l'ivrogne au siècle des Lumières sont le péché et l'enregistrement de sa déchéance morale par la société. Même après la médicalisation du discours savant sur

18

AGUILLER
Dans les dialectes
de Savoie et de Suisse,
aguiller signifie « jucher
quelque chose à un
endroit élevé », « entas-
ser des objets sans
donner de solidité à
l'ensemble », on com-
prend donc le passage
d'équilibre instable à
celui de trop boire. Ce
verbe est de la famille
du mot *quille*. Le sens
premier de *aguiller* est
« relever les quilles
tombées ». ∎

19

les risques que l'excès d'alcool fait peser sur la santé, ces dimensions morales restent essentielles. Encore aujourd'hui, le buveur comtois qui **signe la tempé-rance**, entre autant sur la voie de la guérison que sur celle de la rédemption sociale.

Boire à perdre la raison Ce qui fait de l'ivresse excessive un péché

et, plus largement, une faute morale, c'est qu'elle situe provisoirement l'individu hors de la communauté et qu'elle le prive de ses capacités de discernement, brouillant même les frontières entre l'humanité et l'animalité. Pour quali-fier le trop-boire, les habitants de la région de Morez, dans le haut Jura, emploient le verbe **aguiller**, qui sert également à exprimer le fait de mal se vêtir ou à dési-gner, au participe passé, un objet en équilibre instable. Boire excessivement participe donc de ces choses qui mettent du désordre dans le petit monde quotidien ! En Vallée d'Aoste, la rupture temporaire de l'ivrogne avec les membres de sa communauté est particulière-ment bien exprimée, puisqu'il est coutume d'y dire que celui qui s'enivre **monte dans la lune**.

À Saint-Étienne, le fait que l'adjectif **mazot**, qui s'em-ploie généralement pour désigner celui qui est fou, s'utilise parfois pour désigner le buveur ivre montre une sensibilité à l'idée que l'excès d'alcool entraîne une perte de raison. Quand de jeunes Marseillais expli-quent qu'ils *sont déchirés* à la bière, ils expriment très explicitement une conduite à risques, qui permet d'al-ler au-delà de soi, au-delà du carcan d'un sens du rai-sonnable qui protège. Privé de sa raison par l'alcool, l'homme apparaît bien vite comme un animal malhabile, fragile et vite grotesque. Au Québec, un habitué de l'ivresse *est toujours à quatre pattes* !

Le cercle des pochards Très tôt, les gros buveurs,

surtout lorsqu'ils appartenaient aux couches les plus basses de la société, furent considérés avec mépris, marginalisés même. Au XVIIᵉ siècle, le dédain était déjà considérable à l'égard de ceux qui, fort *sujets à la crapule*, s'adonnaient à une perpétuelle ivrognerie alimentée par du vin ou des boissons plus fortes. Plus de trois cents ans plus tard, celui qui aime à **se ganacher** en Lyonnais, à **pioter** ou à **se boissonner** en Basse-Normandie, à **buvasser** en Pays nantais ou à *caresser la bouteille* en terres québécoises est rarement bien perçu par ses collègues et par ses voisins, sauf si, à Montréal comme ailleurs, ceux-ci font partie de *sa gang de* **soûlons** ! À force de **breuvailler**, comme dirait un habitant du Beaujolais, le *pilier de bistrot* et le **pillaveur** plus solitaire finissent par porter les stigmates de l'alcoolisme. À Poncins, leur visage rubicond suffirait à faire dire qu'ils **ne sucent pas de la glace**. L'histoire continue hélas… Des problèmes familiaux et professionnels peuvent faire du buveur un **pratique** pour peu que nous soyons en Champagne, un individu oisif qui n'a plus que l'alcool auquel se rattacher… À force de boire du mauvais alcool, le **robineux** québécois peut tout perdre et devenir un clochard.

ROBINEUX On pourrait imaginer que le **robineux** québécois soit lointain parent du *robinet* français, le robinet auquel on boit. Il n'en est rien. **Robineux** est un dérivé de *robine* qui désigne un alcool frelaté. **Robine** est l'adaptation de l'anglais *rubbing (alcohol)* « (alcool) dénaturé ». ∎

Temps
et lieux
du boire

Vive la mariée ! **Lors des repas de noces, il était de règle que la boisson coulât jusqu'à ce que les tonneaux fussent vides** et les convives plus que satisfaits. Dans beaucoup de régions, il était d'usage d'offrir aux nouveaux mariés, le soir ou au cours de leur nuit de noces, quelques mixtures aux compositions très symboliques. Il pouvait s'agir de soupes fortement épicées, comme les **tourrins (tourins)** – de *torrer* « cuire » – du sud-ouest de la France, mais aussi de vins chauds, tels la **trempotte** du Morvan ou la **trempée** de la Sologne bourbonnaise.

Boire en fêtes **Fête et boisson restent liées tout au long d'une vie.** En Louisiane comme ailleurs, dès qu'un groupe **fait bamboche**, les bouteilles doivent être de la partie, même si elles ne sont remplies que d'un *pétillant sans alcool*. Dans les régions vinicoles, au mois de novembre, mois de la Saint-Martin, il est temps de **martiner** le vin en Touraine et de *goûter le vin bourru* en Savoie comme en Bordelais. Ces retrouvailles autour du vin nouveau viennent quelque temps après les vendanges, qui, comme tous les grands travaux agricoles, étaient autrefois l'occasion de repas de clôture passablement arrosés.

22

Boire au boulot ! Des façons de boire sont aussi indissociables du travail quotidien.

Le difficile labeur du paysan donnait soif. Pour satisfaire celle-ci, sans quitter les champs, les travailleurs apportaient avec eux une réserve de boisson, souvent de l'eau presque pure, à peine teintée de vin ou additionnée d'un peu de vinaigre. Selon les régions, les récipients employés pour la transporter varient considérablement. Quelques grandes familles se distinguent cependant : les tonnelets, comme la **caquille** du Beaujolais, diminutif de *caque* (barrique où l'on conserve les harengs salés), ou le **bari** de la Champagne, les bouteilles, ainsi le **crapaud** de grès employé dans la Marne ou le **pourrou** en verre du Roussillon, variante du **poal**, les outres, les calebasses évidées, etc. En plein champ, comme il est plus pratique de **boire à la gargalette**, comme le dirait un agriculteur de la Drôme, que dans un verre, nombre des objets précités permettent de boire facilement *à la régalade*.

Autour d'un verre Les boissons jouent un rôle essentiel dans de nombreux moments de sociabilité.

Elles sont même une ressource pratique en cas de rencontres impromptues. En effet, quand deux amis de longue date se rencontrent fortuitement dans la rue, l'un d'eux a souvent l'idée de convier l'autre à venir *prendre un verre* ou l'*apéro* chez lui, s'il habite à proximité, ou dans le débit de boissons le plus proche, afin d'échanger tranquillement quelques paroles autour d'une *consommation*. Les motifs de se rassembler autour d'un verre, en mettant plus ou moins les formes,

« *La vie des hommes de Lettres est une fête perpétuelle et se passe à courir les banquets, les générales, les inaugurations et les coquetèles mondains.* »
Marcel Aymé,
Travelingue.

ne manquent pas. Selon les endroits et le degré de mondanité souhaité pour cet événement, les invités se verront annoncer un *pot*, une **verrée** (Suisse) ou un cocktail, écrit et prononcé **coquetel** s'ils se trouvent dans une région très portée à la francisation. Marcel Aymé, dans *Travelingue*, l'écrit même **coquetèle**. Dans certaines occasions, tels les mariages ou les comices agricoles, cette réunion autour d'un verre prend le nom de *vin d'honneur*.

De coups en trous
Au cours des repas les plus plantureux, l'habitude fut prise dans certaines régions d'ingérer un verre, le **coup**, en des moments précis du service. Classiquement, il peut y en avoir trois : le **coup d'avant** pris en apéritif, le **coup d'après**, qui suit immédiatement la soupe, et le **coup du milieu**, ainsi nommé parce qu'il trouve place entre le rôti et l'entremets, c'est-à-dire vers le milieu du repas. Par endroits, ce verre d'alcool fort, auquel Grimod de la Reynière accordait la capacité de donner les moyens de faire un second dîner, est appelé le **trou**. Quand le verre est rempli d'eau-de-vie de cidre, il est d'usage de préciser qu'il est *normand* ; s'il l'est d'une jeune eau-de-vie d'Armagnac, qu'il est *gascon*.

Cabarets contre cafés
Lieux de rencontre et de partage, tous les débits de boissons ne jouissent pas de la même renommée et n'attirent pas la même clientèle. Dans le Paris de la fin du XVIIᵉ siècle, alors que les cafés, tel le « Procope », s'affirmaient comme

---

BOUCHON
Aujourd'hui, le **bouchon** est surtout lyonnais. Ce fut tout d'abord un cabaret de campagne entouré de verdure, par la suite un simple débit de boisson à la ville comme à la campagne. Ce bouchon-là a la même origine que le bouchon qui sert à boucher le tonneau ou la bouteille. C'est un dérivé de l'ancien français *bousche*, qui désignait une poignée de paille, un faisceau de branchage. Le bouchon était une poignée de paille ou parfois un rameau de feuillage que l'on suspendait comme enseigne au-dessus de la porte d'un cabaret. Le mot a pris alors le sens de cabaret. L'expression « À bon vin, point d'enseigne », qui signifie que les choses de qualité se passent de publicité, est issue de l'ancienne expression « À bon vin, point de bouchon ». ■

incontournables lieux de rendez-vous mondains, les plus petites gens continuaient de fréquenter des *cabarets borgnes* et des *gargotes*, qui se distinguaient des premiers par le fait que, comme dans les *tavernes*, il était aussi possible d'y manger. Une centaine d'années plus tard, le petit monde des cabarets populaires, également appelés *bouchons*, n'avait rien perdu de son pittoresque, comme en témoigne Louis Sébastien Mercier dans son *Tableau de Paris* : « Dans d'autres bouchons, j'ai eu occasion de voir ce qu'on appelle **boire pinte**, ou **chopine**. La pinte est sur une table de bois informe à deux pieds de distance d'un ménétrier qui fait danser une populace de déguenillés ; c'est un soldat et une servante qui boivent ensemble ; c'est le rire et la misère qui s'accolent près de ce vase de plomb enduit d'une crasse rouge. S'il survient une rixe à la suite des fumées du vin frelaté, le jurement et la main partent ensemble ; la garde accourt, et sans elle cette canaille qui danse allait se tuer au son du violon. »

27

TABAGIE Quoi de plus naturel que de rattacher **tabagie** à *tabac*. C'est ce qui a été fait au cours du XVIIIᵉ siècle, d'autant plus qu'une **tabagie** fut d'abord un estaminet où on allait fumer. En fait l'origine de ce mot est algonquine. *Tabaguia*, d'où est issu *tabagie*, signifie « festin » chez les Indiens d'Amérique du Nord. ■

Tabagies et guinguettes

Au cours du XVIIIᵉ siècle, les tabagies sont devenues des lieux où une clientèle populaire consomme de l'eau-de-vie et joue dans une atmosphère enfumée. Les *estaminets* du Nord sentent autant le tabac, mais la fréquentation de certains d'entre eux est beaucoup plus policée.

À la même époque, les *guinguettes* se multiplièrent à la périphérie immédiate des villes. Situées dans les faubourgs, elles pouvaient proposer le vin bien moins cher qu'à l'intérieur des barrières d'octroi, tout en restant très facilement accessibles aux buveurs citadins… qui ne manquaient pas d'y venir en masse le dimanche.

D'assommoirs en bistrots Au XIXᵉ siècle, les cafés, qui restaient plutôt fréquentés par la bonne société, ne devaient pas être confondus avec les établissements tenus par les cafetiers, ces derniers étant largement les héritiers des taverniers ou des cabaretiers d'antan. Chez eux, une clientèle populaire se rendait en effet pour acheter du vin, manger un morceau ou prendre une consommation qui pouvait être autant un ballon de rouge qu'un verre de limonade.

Dans les quartiers populaires, il était des cabarets dont la réputation était particulièrement redoutable, puisqu'ils étaient accusés d'offrir à leurs clients des boissons frelatées qui les abrutissaient à petit feu.

La langue populaire en fit des **assommoirs** ! Dans la seconde moitié du XXᵉ siècle, les premiers **bars** français firent leur apparition. Lieux à la mode, caractérisés par un imposant comptoir et inspirés par un goût anglais, ils demeurèrent pendant plusieurs décennies étrangers à la culture du commun des buveurs. Par la suite, leur organisation interne fut reproduite dans la plupart des débits de boissons, et le **zinc** commença à soutenir toutes les ivresses.

Contrairement à ce qu'une légende tenace fit longtemps croire, ce ne fut qu'à partir des années 1880 que le terme **bistrot** commença à être timidement employé pour désigner un débit de boissons. En effet, il ne doit absolument rien à l'empressement de cosaques qui auraient pris l'habitude de crier *byistro* (« vite ») aux cabaretiers dans le Paris occupé de 1814. Le bistrot trouve ses racines dans une langue populaire, où la **bistouille** est le mauvais alcool, le **bistinguo**, un cabaret et le **bistraud**, un petit domestique.

BAR L'origine du mot *bar* se trouve dans le mot français *barre*, emprunté pour désigner la barre de comptoir à laquelle se raccroche le consommateur chancelant, puis le comptoir lui-même. Au XIXᵉ siècle, le mot *bar* entre dans la langue française pour désigner aussi un type de débit de boissons et son imposant comptoir. *Bar* intervient donc logiquement dans de nombreuses expressions fleuries. Ainsi, nous pouvons dire que les *piliers de bar* attrapent souvent des *durillons de comptoir* (des ventres proéminents) ! ∎

« Ami, remplis mon verre ! »

Une relation particulière s'instaure vite entre les habitués d'un débit de boissons et ceux qui y travaillent. Face aux buveurs, complice et tout à la fois distant, se trouve le tenancier. Ses bons clients aiment à lui signifier leur respect, à lui rappeler qu'ils savent qu'ils sont chez lui. À Bruxelles, ils lui donnent ainsi du **baes** ou **baas**, du maître, un mot qui montre qu'ils reconnaissent en lui tout à la fois l'autorité acquise du *patron* et celle plus naturelle de l'homme robuste. À Paris, quand des habitués baptisent un tenancier **bougnat**, ils font preuve d'un respect envers l'origine auvergnate souvent fièrement proclamée de celui qui les accueille dans sa maison.

« Garçon ! »

Dans les établissements de quelque importance, la relation avec le patron se distend. En Louisiane, c'est le **commis de la barre** qui prendra les commandes, en Suisse, une **sommelière** ou, plus rarement, un **sommelier**, à l'origine celui ou celle qui avait la charge des vivres et de la table dans une maison. Au service du client, ces professionnels sont les lointains héritiers de la domesticité d'autrefois. Les *maîtres d'hôtel* des grandes brasseries d'aujourd'hui sont la preuve vivante de cette filiation ! Dans d'anciennes colonies françaises, le garçon de café est parfois appelé **boy**. Comme dans l'ancienne métropole, le nom du domestique d'hier sert à désigner l'employé d'aujourd'hui... Aux oreilles de beaucoup, cependant, ce mot sonne comme un mauvais souvenir et des expressions plus modernes lui sont préférées.

3

La culture
du vin

3₁

Le vin en héritage **Dans les pays imprégnés par les cultures gréco-latine et judéo-chrétienne,** le vin est plus qu'une simple boisson. Il est un fait de civilisation. En effet, il y joue un rôle essentiel dans certains rites religieux, il s'y place au premier rang dans la hiérarchie des boissons, il y est un objet de grand commerce et même une préoccupation politique. Sa géographie actuelle ne doit pas tromper, toute la France reçut le vin en héritage. La Picardie, la Bretagne, la Normandie, des vallées élevées eurent leurs vignobles. Charrettes, chalands et caboteurs se chargeaient de convoyer **barriques**, **pipes**, **queues** et autres **futailles** vers les endroits où la vigne ne fleurissait pas. Partout, les prêtres avaient besoin de vin *à consacrer* et les élites envie de boire un vin qui les distinguait. En traversant les mers, les missionnaires et les colons français emportèrent le vin sous d'autres cieux. Au début du XVIIe siècle, les premiers jésuites qui s'installèrent au Canada essayèrent de faire du vin avec les raisins des *lambrusques* locales ! Au Congo, le gros rouge finit par devenir une boisson populaire vendue jusque dans les épiceries de brousse dans des **longs**, des bouteilles d'un litre, ou à l'intérieur de **carrées**, des bouteilles de whisky réemployées.

Le vin très chrétien Le rôle central que le vin occupe dans la symbolique chrétienne

explique l'importance culturelle qu'il a prise dans les pays latins. Catholiques et protestants conservèrent l'étroite association du vin au sang du Christ. Des textes, relayés à partir de la fin du Moyen Âge par le thème iconographique du *pressoir mystique*, insistent sur le fait que le Christ fut « comprimé sur la croix comme une grappe sous le pressoir ». Tout vin rappelle donc la passion du Sauveur. Très tôt, le **vin de messe** fut blanc de préférence. Cela évitait qu'il tachât le linge liturgique et, symboliquement, qu'une souillure pût être engendrée par le plus saint des liquides.

La force du vin Bien considéré par les médecins antiques,

assimilé au sang, le vin fut longtemps considéré dans nos sociétés comme une nourriture des plus salutaires. En 1759, dans le traité qu'il consacra à la vigne et au vin, Nicolas Bidet évoque les vertus de ce dernier, tout à la fois *lait de Vénus* et *lait des vieillards*. Bien des représentations du vin en usage à cette époque survécurent. Le vin était un aliment et un sain stimulant. Le **pinard** distribué aux soldats dans les tranchées pendant la Grande Guerre en est un exemple. Ne devenait-il pas dans certaines bouches le **saute-barrière** ? Le vin ne faisait pas que réconforter le travailleur, il reconstituait ses forces. Dans la France des années cinquante, l'honnête travailleur *carburait au rouge* et, aujourd'hui encore, le vin populaire est appelé le **mazout** à Djibouti.

32

Faire trempette Les vertus accordées au vin firent de lui un aliment des plus reconstituants.

En Franche-Comté, les accouchées recouvraient plus vite leurs forces grâce au **chaudeau**, un vin blanc chauffé avec un peu de beurre, de miel et des jaunes d'œufs. Ailleurs, les convalescents avaient droit à d'autres mixtures à base de vin, ainsi le **vin de poule** en Dauphiné. Par endroit, comme le rappela Balzac dans *Le Médecin de campagne,* une « petite trempette au vin » apparaissait comme le remède souverain à bien des maladies. Qu'elle s'appelât **trempusse** (Bourgogne) ou **trempotte** (région de Vienne), elle consistait toujours en du pain trempé dans du vin sucré.

Dans certaines régions, cette préparation fut même chantée par les enfants, songeons à la comptine « Marie tremp' ton pain, Marie tremp' ton pain, Marie tremp' ton pain dans la sauce, […] Marie tremp' ton pain dans le vin ! » Parfois, le vin devenait la base de médicaments préparés plus savamment. À la fin du XVIIIᵉ siècle, il se préparait notamment du *vin d'absinthe* ou du *vin émétique.* Par la suite, les *toniques hygiéniques,* associant vin et quinquina, connurent un très franc succès. Source de vitalité, le vin était aussi largement employé dans les potions dont la remise aux mariés venait pimenter les cérémonies de la nuit de noces : il figurait dans la **trempe** beaujolaise, dans la **chichole** drômoise et franco-provençale (Dauphiné, Isère), etc.

34

Mère goutte et vins de treuillis

À l'issue d'une même vendange, ce n'est pas un vin mais plusieurs qui sont obtenus. Le premier, et le meilleur de tous, est celui que les habitants du Lyonnais appellent le **paradis**, ou que Nicolas de Bonnefons nommait *vin de mère goutte* ou *de rosée* au XVIIe siècle. Il est celui qui s'écoule naturellement de la cuve **(tine)** dans laquelle est placé le raisin. Quand le raisin était foulé, le vin se voyait alors qualifier de **surmoust** ou de *vin de grappe*. Obtenus grâce à l'action d'un pressoir *(treuil)*, tous les autres vins étaient autrefois pour les Girondins des *vins de treuillis*. Cette catégorie n'a rien d'homogène, l'excellent y côtoyant le vraiment médiocre. *Le vin de première presse* est d'une qualité proche des vins obtenus sans l'action du pressoir. Une fois écoulé ce jus interstitiel, le **marc** ne donne plus que des produits plus médiocres au cours de la ou des deux **pressées** suivantes : les *vins de taille* et *de pressoir*, dits aussi de *dernière goutte*.

Précieuse piquette

Une fois obtenu tout le vin jugé nécessaire, le marc peut être additionné d'eau pour donner de la **piquette**, un breuvage également connu sous le nom de **dépense**. Le même marc pouvait donner jusqu'à trois **dépenses**, la troisième tenant plus de l'eau rougie que du *vin trempé*. Dans les grandes maisons, la dépense était précieuse parce qu'elle permettait de donner à boire aux domestiques en épargnant le vrai vin. Dans les ménages modestes, elle constituait la boisson de l'année.

Dans le secret des chais C'est dans le chai de la propriété, du château ou dans celui du négociant, de l'**encaveur** comme disent les Suisses, que le vin *s'assemble, se corrige* si nécessaire, puis attend son heure sous la surveillance attentive du *maître de chai*, aujourd'hui souvent assisté par un *œnologue*. Régulièrement, le vin y est **grumé**, c'es-à-dire goûté à l'aide d'un **tastevin** (**tassou** en Auvergne), pour vérifier que son élevage se déroule dans les meilleures conditions possibles. Ici la vinification se réalise au quotidien, telle qu'Émile Peynaud l'avait définie : elle est « un complexe de science et d'art, de connaissance et d'artisanat ». De tout temps, cependant, la discrétion des chais, comme celle des arrière-boutiques de marchands, permit à quelques-uns de se livrer à une alchimie bien plus noire. En effet, le vin peut aussi se frelater voire même se fabriquer de toutes pièces. Sans parler des fraudes sur les appellations, les escrocs aimaient souvent à recourir au **soleil de l'épicier**, manière élégante et lyonnaise de qualifier les procédés qui permettent de rehausser le degré alcoolique d'un vin faible, ou à composer des *vins artificiels*, des **vins de bâton** diraient des habitants de la Vallée d'Aoste.

Du noir au blanc Le volet naturel de la couleur du vin se résume à peu de chose. Lorsque le jus de raisins à peaux noires reste en contact avec celles-ci au cours d'une *macération*, il se forme un vin d'une teinte sombre, plus ou moins intense en fonction notamment de la durée du contact. Comme le *pinot noir* le rappelle chaque année en contribuant à de somptueux *bourgognes rouges* mais aussi en permettant

36

LE VIN CLAIRET (*claret* pour les Anglais) fit la gloire de Bordeaux au Moyen Âge. Il s'agissait d'un vin rosé soutenu, obtenu à l'issue d'une brève cuvaison.

CÉPAGES TEINTURIERS Que leur peau soit blanche ou noire, la majorité des raisins ont la pulpe blanche et leur jus est clair. Seuls les cépages teinturiers ont une pulpe et un jus colorés. ■

d'élaborer de magnifiques *champagnes blancs*, un *cépage* aux baies dont seule la peau est noire donne un vin aussi jaunâtre que celui des *raisins à peau blanche* pour peu qu'il n'y ait pas de macération ! À partir de là, les couleurs du vin, les *robes*, sont des catégories culturelles propres à une époque, à une région parfois. Au début du XVIIIe siècle, Montesquieu distinguait notamment les vins *noir, rouge, gris* et *blanc*.

Certains de ses contemporains reconnaissaient également des vins *paillet, couleur d'œil de perdrix, clairet* et *rosé*. En Touraine, un vin *cuisse de bergère* est aujourd'hui un vin rouge d'une très faible couleur. Au XVIIe siècle, la diététique en faisant correspondre les vins les plus clairs aux tempéraments les plus délicats les déclarait naturellement adaptés aux élites. Trois cents ans plus tard, couleurs des vins et statuts sociaux demeurent parfois associés. Le *gros rouge*, le *gros bleu* ou même le *petit rosé* accompagné de glaçons évoquent irrésistiblement un savoir-boire populaire !

> « *Un voisin pauvre mais compatissant me fit le prêt d'une demi-baguette de pain mou et d'un litron sobrement capsulé dont l'étiquette, en gothiques lamentables, chantait avec outrecuidance les vertus du gros rouge ci-inclus.* »
>
> Pierre Desproges, *Chroniques de la haine ordinaire*, 1987.

Le meilleur ou le pire **Tous les vins ont des qualités intrinsèques,** c'est le goût d'une société qui fait qu'ils deviennent bons ou mauvais. La **champagnette** québécoise rappelle que lorsqu'un vin a la faveur de la mode, il est souvent imité sur un mode mineur mais à un prix souvent beaucoup plus abordable. Les vins les plus recherchés d'une époque font rêver, songeons au mythique Pétrus, et les buveurs ont souvent beaucoup d'indulgence pour le *petit vin de pays*, le **rocané** diraient les Sarthois. En revanche, la langue se fait souvent cruelle pour les plus détestables

picrates. Le mauvais vin est la **pisserotte** en Beaujolais, il se voit rabaisser au rang d'un breuvage tiré des prunelles, **vin de pelousse** dans la région de Saint-Étienne ou qualifié de **dix-neuf** en Bourgogne, pour mieux souligner qu'il n'est pas vin(gt) ! Pourtant, ce mauvais vin possède un avantage sur le meilleur des crus. En effet, comme le remarquait déjà Furetière à la fin du XVIIᵉ siècle, il est un excellent **chasse-cousin**, car bien peu de pique-assiettes en redemandent !

39 Les âges du vin **Les vins français ne supportèrent pas toujours le temps qui passe** aussi

bien qu'aujourd'hui. Jusqu'au XVIIIᵉ siècle, beaucoup de vins atteignent à peine l'âge d'une **feuille**, d'un an, avant de s'aigrir. Pour quelques autres, la limite est de deux, trois ou quatre feuilles. Et seule une infime minorité vieillit bien au-delà. D'où la grande estime portée en ce temps à des *vins nouveaux*, tel le **vin de cerneaux**, décrit par l'Académie comme un « vin rosé » qui était bon à boire dans la saison des noix. Le vin n'a pas besoin d'atteindre un grand âge pour commencer à intéresser les buveurs. En Touraine, dans les Deux-Sèvres et la Vienne, il est seulement **bernache (brenache)**, vin dont la fermentation est juste commencée, qu'il rencontre déjà de nombreux amateurs. Dans la région de Poncins, c'est la **bourrette** qui séduit les buveurs dès l'automne. Dans l'Ain, les viticulteurs attendent patiemment que le vin **fasse ses Pâques** pour pouvoir présager de ses qualités et être en mesure de corriger ses éventuels défauts. En vieillissant, le vin réserve parfois de mauvaises surprises. En Beaujolais,

« – *Et ce vin, goûtez-moi ce vin ! Léger mais vif ! Une année merveilleuse ! Et vingt ans de bouteille ! Et pas cassé ! Intact ! Ça c'est du vin ! [...].* »

Henri Bosco, *Un rameau de la nuit*, 1950.

une dégustation peut, par exemple, montrer qu'un vin **force**, en d'autres mots qu'il est sur le point de s'aigrir. De toute façon, à trop garder le vin, il finit par se perdre. Lorsqu'un vin comtois **se cacouille**, se désagrège quand on le remue, il est souvent trop tard pour pouvoir le déguster.

Une bouteille à la… cave **Une histoire récente du vin** pourrait presque s'écrire en ne considérant que les bouteilles qui le contiennent ! En effet, pendant longtemps, les consommateurs *prirent le vin* à **longue tire**, comme disent les habitants du Beaujolais, c'est-à-dire en le tirant au tonneau au fur et à mesure des besoins. La bouteille servait alors à transporter le vin de la cave à la table, quand elle n'était pas remplacée par une **fouillette**, un pot en grès utilisé dans la Drôme, ou un autre récipient.

Avec le stockage et le vieillissement du vin en bouteilles, celles-ci trouvèrent une nouvelle fonction. Dans le cas des vins fins, la conservation en bouteilles s'imposa très tôt, parfois dès la fin du XVIIᵉ siècle. En revanche, le *vin à la tireuse*, qui coulait encore à flots il y a quelques années, est là pour rappeler que le *vin bouché* ne prit vraiment de l'importance dans la consommation populaire que beaucoup plus tard.

Socialement, toutes les formes de bouteilles ne jouissent pas de la même respectabilité, le *trois-quarts* n'est pas le *litron*, qui n'est pas lui-même la *bouteille en plastique* ou le *cubitainer* ! De tous les vins actuellement appréciés, il en est un qui est plus redevable que les autres à la bouteille : le *champagne*. Des phases essentielles

« Semelle, déclare Verdun d'une voix commémorative, Semelle, je vais déboucher une bouteille en ton honneur.
Et de poser solennellement devant lui un demi-litron d'un liquide parfaitement transparent.
— Été 1976, annonce-t-il en sortant son Laguiole. C'est bien ce qu'on craignait. C'est de la flotte qui stagne depuis six ans dans cette prison de verre soufflé. De l'eau de pluie. »

Daniel Pennac, *La Fée carabine*, 1987.

de la vinification selon la *méthode champenoise* se déroulent, en effet, une fois le vin embouteillé. En outre, cela était déjà vrai au XVIIIe siècle, sa capacité à se débarrasser bruyamment de son bouchon est pour beaucoup dans le charme du champagne. Les Comtois le disent fort bien en qualifiant la bouteille qui le contient de **péteuse** !

Avec ou sans eau ? Il y a quelques

décennies, il n'était pas rare, dans certaines campagnes, de servir au quotidien du vin coupé d'eau. À la fin du XIXe siècle, cette pratique était aussi courante dans certains milieux populaires urbains. Une chanson parisienne de cette époque, en argot, nous apprend que **soiffer picton sans lance**, boire du vin pur, pouvait faire partie des grands plaisirs de la vie en ces temps où le vin était cher !

Un manuel dénonçant les méfaits de l'alcoolisme incitait même la ménagère à ne pas trop **baptiser** *les boissons de ménage*, afin que son époux ne soit pas tenté de trouver dans quelques autres verres de spiritueux la « stimulation » dont il aurait été ainsi privé.

Au XVIIIe siècle, le coupage du vin d'ordinaire était une pratique répandue dans l'ensemble de la société française. Les vins les plus fins, notamment les *liquoreux*, étaient en revanche consommés purs. Aujourd'hui, tous les vins sont en général consommés purs, mais l'été venu, le *rosé* **limé**, coupé avec de la limonade, séduit quelques amateurs.

BOIRE À LA GLACE :
prendre un vin rafraîchi dans un seau rempli de glace. ■

Trinquons ! **À la fin du XVIIᵉ siècle,** Furetière

expliquait que le verbe *trinquer*, qui provient en droite ligne de la langue allemande, signifiait boire beaucoup en choquant les verres, et qu'il s'agissait d'une occupation appréciée des ivrognes. *Boire à la santé* de quelqu'un, comme cela se faisait dans les grands repas, lui paraissait une activité beaucoup plus convenable. Ce rituel de table était d'ailleurs très codifié. Par exemple, il ne fallait pas boire à la santé de ses supérieurs en leur présence, et celui qui *buvait une santé* de la main gauche était contraint de boire le **houpillon (goupillon)**, un demi-verre de vin. Très ancienne, l'habitude de boire à la santé demeura vivace tout au long du XVIIIᵉ siècle. Voltaire lui consacra même un article dans son *Dictionnaire philosophique*. À sa lecture, nous apprenons que les Anglais aimaient **toster** en l'honneur des dames. Ceux qui trinquent se signifient une certaine égalité, alors que ceux qui, comme cela se dit plus tard, *portent un toast*, se témoignent un certain respect. Mais ces deux formes du boire ensemble rappellent l'importance du vin partagé sur la scène sociale. C'est ce que l'on retrouve, dans bien des régions, sous une autre forme les jours de foire, à l'heure de conclure les transactions : celles-ci ne sont en effet véritablement réglées que lorsque, à l'auberge, quelques verres de vin ont été pris ensemble, que le **vinage** a été bu, comme on dit en Périgord.

*« Il se décida, tendit la main comme après l'achat d'une vache : « Topez-là, m'sieur l'Baron, c'est fait. Couillon qui s'en dédit. »
Le baron topa, puis cria : « Ludivine ! »
La cuisinière montra sa tête à la fenêtre : « Apportez une bouteille de vin. » On trinqua pour arroser l'affaire conclue. »*

Guy de Maupassant,
Une vie, 1893.

42

Le goût du vin

L'une des pires surprises qui puisse attendre un buveur est sans doute un *vin bouchonné*, car celui-ci est proprement imbuvable à cause du mauvais goût, du **dégoût** dirait un Poitevin, que lui confère son bouchon malade. S'il garde son vin chez lui, l'amateur aura parfois la déconvenue d'avoir monté de sa cave un vin **âflé** (éventé, littéralement « soufflé », en Franche-Comté), **poussé** (aigri, en Auvergne), **abali** (tourné, dans le Cher) ou qui **a viré** (s'est piqué, en Champsaur). De tels défauts proviennent d'une évolution mal contrôlée du vin. L'une des destinées naturelles du vin est de devenir *vin-aigre* comme l'écrivait joliment Nicolas de Bonnefons.

L'appréciation des qualités et des défauts d'un vin est pour le reste un exercice éminemment culturel. Ce qui plaît aujourd'hui exécrera peut-être demain. À la fin du XVIIe siècle, il se disait chez les « grands gourmets » qu'il fallait que « le vin **ortie** le palais, pour dire qu'il le pique doucement ». Tous les œnophiles d'aujourd'hui ne sont sans doute pas de cet avis !

Souvent, ce qui fait aujourd'hui un vin médiocre, c'est sa faiblesse, sa pauvreté en alcool et en bouquet. C'est le cas, notamment, du vin **reginglet** du Périgord, de la **giclette** du haut Jura et de Lyon ou du vin **guinguet** des Ardennes. Cependant, n'oublions pas que, dans la seconde moitié du XIXe siècle, bien des vins fameux affichaient une gradation alcoolique inférieure à dix degrés ! Dans la région du Pilat, un vin est **vineux** quand il contient beaucoup de tanins. Est-ce une qualité ? Un défaut ? C'est en fait une société tout entière qui détient la réponse à cette question.

REGINGLET, GUINGUET ET PIQUETTE

Guinguet ou **reglingard** désignaient un mauvais vin. **Reginglet** ou **reginglard**, **ginglet** ou **ginglard**, **guinguet** ou **guinguet** sont des mots qui appartiennent à la même famille que guinguette. Ils remonteraient à l'ancien verbe *ginguer* d'origine germanique signifiant « sauter », la verdeur du vin, son acidité faisant sursauter. Un mauvais vin ou un vin de qualité médiocre, une **piquette**, se disait, dans le langage populaire du XIXe siècle, **criquet**. ∎

4

De bières
en sodas

Boissons fondamentales **Dans les années 1900, un brasseur lillois** dressait un portrait assez juste de ce que buvaient les régions françaises, omettant seulement le fait capital que, de Béthune à Bayonne, le vin constituait la plus prestigieuse des boissons fermentées : « Les trois quarts de la France ont le vin, dans le reste on a le cidre ; de sorte que la bière, comme boisson de première nécessité, se trouve bornée à l'ancienne Ardenne, une partie de la Lorraine et de la Flandre ; hors de cette portion assez limitée de la France, la consommation est une affaire de goût personnel, une question d'estaminet. » Néanmoins, les boissons qui comptent ne sont pas toutes alcoolisées. En effet, l'alcool est frappé d'interdit religieux dans de vastes contrées et le XXe siècle a vu des *boissons gazeuses*, comme aiment à les nommer les Québécois, s'affirmer comme des produits de grande consommation.

De pomme, de poire… **Dès le Moyen Âge, le cidre apparut comme une boisson de grande consommation** au Pays basque, en Gascogne occidentale, dans le Maine, en Bretagne et en Normandie. Dans certaines de ces régions, il s'affirma comme la boisson du peuple. Dans les autres, comme en terres normandes, il fut la nouveauté prestigieuse

qui permit aux plus fortunés de se distinguer des buveurs de *cervoise*. Celle-ci ayant disparu, le cidre devint un boire populaire. Jusqu'au XXᵉ siècle, la variété des cidres demeura considérable. Le meilleur, le *gros cidre*, obtenu à partir du jus de pomme qui s'écoulait lors du premier pressurage des pommes broyées, n'était pas à la portée de toutes les bourses. Les ménages modestes devaient se contenter au quotidien du *cidre mitoyen* obtenu lors du **rémiage** (pressurage du marc additionné d'eau) ou du *petit cidre* (**piquette**, **pommade**) produit lors du **tierçage**, un second pressurage du marc réalisé après une nouvelle addition d'eau. En pays d'Auge, certains paysans n'hésitaient pas à mêler des poires aux pommes. Mais le cidre qui découlait de ce procédé, le **halbi** (du néerlandais *haalbier*, littéralement « bière légère »), était plus **raguain**, plus dur, que l'autre. Aussi, dès la fin du Moyen Âge, de nombreux producteurs de cidre traitèrent séparément les pommes et les poires, obtenant ainsi du *pommé* et du *poiré*. Fort d'une longue histoire, le cidre n'a pas cessé d'être un produit innovant. Depuis quelques années au Québec, contrée cidricole depuis le milieu du XVIIᵉ siècle, il se fabrique ainsi un *cidre de glace*, élaboré à la façon de quelques vins fameux avec des fruits récoltés après les premières gelées.

LA BOISSON CHEZ UN INSTITUTEUR D'UNE COMMUNE DU CANTON D'ÉVREUX (1860)
« La boisson ordinaire est le cidre. On en consomme environ un litre à chaque repas et toujours sans eau. Le paysan normand le plus sobre ne boit jamais d'eau. La famille de l'instituteur a pris cette habitude ; le cidre qu'elle consomme est d'ailleurs très léger, très acide et doit renfermer peu de parties alcooliques. » ∎

L'ambiguïté de la douceur Pour le buveur français d'aujourd'hui, le *cidre doux* est un *cidre bouché* qui n'est pas *brut*, c'est-à-dire qui a subi une seconde fermentation assez courte pour rester sucré et faiblement alcoolisé. Dans les campagnes d'autrefois,

quand le cidre de consommation courante se conservait dans des tonneaux, le cidre doux était le cidre nouveau, celui qui ne s'était pas encore **paré (durci)** sous l'effet de la fermentation. Une conception de la douceur proche de celle-ci se retrouve en Suisse, où le cidre doux est le simple *jus de pomme* !

De cervoise en gueuze **Au sens large, la bière est une boisson fermentée obtenue à partir de céréales.** En Belgique et dans le nord de la France, la seule bière qui se consomma jusqu'au milieu du Moyen Âge fut la **cervoise**. Elle s'obtenait à partir d'un *malt* qui était souvent d'orge diversement aromatisé. À partir du XIIIe siècle, une préparation employant le houblon connut un vif succès dans les pays du Nord. C'est la bière consommée aujourd'hui dans les pays européens. Véritable *pain liquide*, elle devint une boisson essentielle pour les populations de la Flandre, des Pays-Bas et d'une partie de l'Alsace et de la Lorraine. Dans chaque région, il s'en produisit de divers types. En Belgique, le **lambic**, une bière de fermentation spontanée traditionnellement brassée en

48

LA BOISSON CHEZ UN COMPOSITEUR-TYPOGRAPHE DE BRUXELLES (1857) : « Sauf le jour de l'an ou dans quelque occasion solennelle, [la famille] ne consomme ni vin, ni liqueurs, et boit rarement de la bière. Hors du domicile, l'ouvrier fait une consommation très modérée de bière, par exemple, le dimanche ou dans quelque réunion des sociétés dont il fait partie. »

BIÈRE La boisson et le cercueil n'ont pas du tout la même origine ! La première vient du néerlandais *bier* (boisson) et le second du mot francique *bera* (civière). ∎

hiver et qui mûrit lentement dans des tonneaux, servit de base à divers assemblages. Parmi ceux-ci, figure le **faro** (à l'origine de Hollande), qui fut très apprécié par les Bruxellois jusque dans les années 1920. Il s'agit de la *bière ambrée*, obtenue en coupant un lambic avec de la *bière de mars (petite bière)* puis en provoquant une nouvelle fermentation par adjonction de sucre. Des cerises macérées dans le lambic donnent de la **kriek**, tandis qu'en combinant des lambics d'âge différent, on obtient de la **gueuze**.

« *On n'est pas sérieux, quand on a dix-sept ans.*
— Un beau soir, foin des bocks et de la limonade,
Des cafés tapageurs aux lustres éclatants !
— On va sous les tilleuls verts de la promenade.

Les tilleuls sentent bon dans les bons soirs de juin !
L'air est parfois si doux, qu'on ferme la paupière ;
Le vent chargé de bruits — la ville n'est pas loin -
A des parfums de vigne et des parfums de bière… »

Arthur Rimbaud, *Roman* (1870).

Comment bockez vous ? Blanche, **blonde, brune ou rousse,** la bière peut se consommer en diverses occasions. La *bière pression*, que les Québécois appellent la **draft**, rencontre partout de nombreux amateurs. Il est vrai que, dans son fût, elle ne risque pas de prendre le **goût de moufette** (animal voisin du putois) qui devient celui de la bière contenue dans une bouteille trop exposée à la lumière. Cela dit, la bierre en bouteille a un charme certain. Les **bouteilles cravatées**, comme les appelle l'Afrique francophone, ont fière allure avec leur belle contre-étiquette

et leur collerette métallique. S'il nous arrive encore aujourd'hui de dire que nous avons pris un *bock de bière*, c'est qu'une bière très en vogue dans la France du XIXᵉ siècle fut celle de la marque allemande *bock-bier* !

De dolo en cachiri **Depuis 1919, la bière Lorraine, qui, comme son nom ne l'indique pas, se fabrique à la Martinique,** rappelle combien les métropolitains surent exporter leur conception et leur goût de la bière vers des cieux lointains !

Néanmoins, la francophonie connaît d'autres bières que celles issues des traditions européennes. Ceux qui parcoururent l'Indochine eurent parfois la curiosité de *boire à la jarre* de la bière de riz, qui constituait la boisson festive de certaines populations autochtones. Au Burkina comme au Mali, le **dolo**, une bière de mil, est encore aujourd'hui très apprécié. Traditionnelle-ment brassée par des femmes, les **dolotières**, cette boisson contribue notablement à la ration alimentaire des plus modestes et se trouve associée à de nombreux moments de sociabilité. En Guyane, lors des fêtes qui se déroulent dans les villages habités par les Wayapis, coulent à flots différentes bières de manioc, regroupées en français sous l'appellation de **cachiri**.

Aux pays du vin de palme **Issu de la fermentation de la sève de certains palmiers,** les *vins de palme (vin de raphia, vin de rônier)* constituent encore aujourd'hui des boissons importantes, tant nutritionnellement que culturellement, pour de nom-

51

breuses sociétés africaines. Diversement nommé selon les régions – il est notamment appelé **tsamba** au Congo –, il peut titrer une bonne quinzaine de degrés. Longtemps, les **malafoutiers**, ceux qui récoltent la sève des palmiers, travaillèrent pour alimenter les populations rurales auxquelles ils appartenaient. Depuis peu, la demande urbaine en vin de palme s'est accrue assez considérablement dans divers pays en raison de son faible prix. Tel est notamment le cas au Burkina, où les lieux de dégustation de ce vin, les **bandjidromes**, du nom local du vin de palme, se multiplient dans les principales villes. Aux Seychelles, il se prépare à partir de la sève de cocotier un vin du même type, le **calou**.

« *Prenez six bons citrons, que vous zesterez dans quatre pintes [un peu moins de quatre litres] d'eau fraîche, exprimez-en le jus ; mettez-y du sucre à votre goût ; battez bien le tout ensemble ; & le laissez infuser un moment, passez le tout par une étamine & le mettez en bouteilles.* »

Joseph Guilliers,
Le Cannaméliste français, 1768

♟ Les temps du lait Aujourd'hui, l'idée qu'un adulte en bonne santé puisse prendre un verre de lait pur n'a rien de surprenant.

Pourtant, il n'en fut pas toujours et partout ainsi. Certes, les habitants de quelques contrées en faisaient grand usage, ainsi les montagnards des Alpes ou des Pyrénées. Mais, dans les autres campagnes, la consommation se limitait pratiquement à celle que faisaient les enfants en bas âge. La diététique du temps estimait en effet que ses propriétés n'en faisaient pas une nourriture quotidienne convenable pour un adulte. En revanche, le lait apparaissait très efficace dans le traitement de certaines maladies. Aux XVIIIe et XIXe siècles, certains médecins se firent même des avocats zélés de la *diète lactée* puis de la *cure de petit-lait*. Lentement, le regard porté sur le lait évolua, et les villes devinrent quotidiennement consommatrices. Se posa alors plus que jamais le problème de la qualité du lait présent sur le marché. Aux problèmes d'hygiène s'ajoutaient en effet les fâcheuses habitudes de certains marchands qui écrémaient leur lait, quand ils n'en faisaient pas du **lait chrétien**, en le *baptisant*, c'est-à-dire en le coupant avec de l'eau ! Au cours du XXᵉ siècle, la pasteurisation puis le développement de la conservation *Ultra Haute Température* permirent d'acheter un lait plus sain, en bouteilles puis en briques. Et s'il est devenu très difficile de trouver sur le marché du *lait d'ânesse* ou *de chèvre*, il nous reste la possibilité de nous en consoler en achetant du *lait de soja*, en réalité du *jus de soja* !

53

Le goût de la limonade

La limonade n'a pas toujours été la boisson sucrée, gazéifiée et incolore que nous connaissons bien. En effet, elle resta longtemps sans pétiller ! Quand la limonade se fit connaître à Paris, dans la première moitié du XVIIᵉ siècle, elle était un simple mélange d'eau, de jus de citron et de sucre. Très à la mode, elle fit rapidement la fortune et la reconnaissance des marchands qui la fabriquaient et la débitaient, les *limonadiers*. Boisson goûtée par les élites, elle eut durant un temps sa saveur compliquée par de l'eau-de-rose ou de l'essence d'ambre. Mais la simplicité redevint de rigueur au siècle des Lumières. Par la suite, il arriva que la limonade fût préparée avec de l'eau gazeuse, ce qui explique que, dans l'argot de la fin du XIXᵉ siècle, champagne pouvait se dire **limonade de lins-pré** *(limonade de prince)*. Cependant, la formule à l'eau plate resta très employée jusqu'à une date avancée du XXᵉ siècle. De subtiles différences de proportions distin-

CANNAMÉLISTE
Celui qui réalise des préparations sucrées, de *cannamelle*, la canne à sucre. ∎

guaient celle-ci de la *citronnade*, qui pouvait également être gazéifiée quand elle était réalisée avec de l'*eau de Seltz* !

 Le triomphe des sodas **Boissons gazeuses fabriquées industriellement,** les *sodas* n'étaient pas inconnus en Europe dans l'entre-deux-guerres, mais ils demeuraient des fantaisies peu consommées. La mise sur le marché d'un soda à l'orange riche en pulpe en 1936 n'y changea rien. Les choses évoluèrent rapidement à la fin de la Seconde Guerre mondiale, et, dès avant la fin des années 1940, un soda à la coca et au cola se retrouva au cœur d'une vive polémique en France, le puissant parti communiste dénonçant un risque de *cocacolonisation* du pays. La planète entière fut, d'une certaine manière, conquise par les sodas en quelques décennies. Dans la Belle Province, dans les années 1960, un soda au cola devint l'emblème d'une génération. Son succès fut tel que son nom se transforma en un sobriquet servant à qualifier péjorativement les Canadiens français ! À Madagascar, un jus peut aussi bien être un fruit pressé qu'une boisson gazeuse. Au Maghreb, la **gazouz**, la boisson gazeuse, est aussi omniprésente.

5

La magie des alcools

Et l'alcool fut ! **L'alcool distillé est né au Moyen Âge.** À la fin de cette période, le liquide obtenu grâce aux alambics cessa d'être considéré seulement comme un ingrédient d'apothicairerie et commença à trouver une place aux côtés des anciennes boissons fermentées. D'abord employé dans la fabrication de prestigieuses liqueurs dès le XVIIe siècle, le **brandevin** (vin brûlé) et les autres *eaux-de-vie* devinrent des boissons populaires dans la France des Lumières. À partir du XIXe siècle, le produit des grandes distilleries industrielles vint concurrencer celui des *bouilleurs de cru*, ces exploitants qui transformaient en alcool une partie de leur récolte avec l'aide d'un distillateur ambulant.

La force de l'alcool **En distinguant le vin et le fort,** les Québécois d'aujourd'hui nous rappellent le changement profond que provoqua la popularisation des *spiritueux* dans la culture des buveurs. Le rythme de l'enivrement fut en effet bouleversé par les nouveaux breuvages, souvent bien plus forts que le plus liquoreux des vins, le plus fort des *hydromels* ou le plus sucré des *hypocras*. Afin d'éviter d'atteindre trop rapidement une ivresse jugée excessive par leurs pairs, les buveurs durent adapter leur conduite à des boissons dont les fumées montaient si rapidement à la tête. Les services de *verres à liqueur*, devenus fréquents dans les intérieurs cossus au cours du XVIIIe siècle, offrent un bel exemple de cette adaptation. Certains alcools se sont forgé une terrible réputation, pour la rapidité avec laquelle ils parviennent à faire entrer dans des états seconds ! En Nouvelle-Calédonie, ils **caillassent**, pareils à l'habile lanceur de pierres qui atteint sa cible ou au soleil qui darde. À la Guadeloupe, le verre de rhum est appelé le **ti pété pié**, le « petit qui fait éclater les pieds » !

EAU-DE-VIE ET ALCOOL Au XIIIe siècle, les savants de culture latine nommèrent le produit de la distillation : *aqua vitae* ou *aqua ardens*, littéralement « eau-de-vie » ou « eau brûlante ». D'*aqua vitae* dérivent *eau-de-vie*, *aquavit* ; le *whisky* est aussi une eau *(uisge)* de vie *(beatha)* ; enfin *scubac* (gaélique *usquebaugh*), de même origine que *whisky*. D'*aqua ardens* procèdent l'espagnol *aguardiente*, le portugais *aguardente* ou l'occitan l'*aïgà ardèn*. Pour leur part, les savants de culture musulmane qualifièrent le produit de la distillation de *al-kohl*, « poudre d'antimoine ». Repris par les alchimistes occidentaux, ce terme devint en latin *alko* ou *alkohol*. Au XVIe siècle, il entra dans la langue française sous la forme *alcohol* et devint par la suite notre *alcool*. ∎

Remède à la vie Quand l'alcool se fit boisson de grande consommation, il continua d'être apprécié pour certaines de ses propriétés préventives et curatives. À la fin du XVIIIe siècle, Legrand d'Aussy remarquait ainsi que bien des gens du peuple buvaient de l'eau-de-vie le matin, forts de l'idée « qu'elle réjouit le cœur et chasse le mauvais air ». Au début du XXe siècle, il était encore d'usage, dans certaines parties du Languedoc, de prendre le **tue-ver** pour bien commencer la journée. C'est aussi parce que l'alcool apparaissait comme une bonne chose que, dans les familles modestes alsaciennes, les mères n'hésitèrent pas à ajouter graduellement du *schnaps* au lait

dans les biberons de leurs enfants. En effet, il était censé protéger l'enfant de certains maux, le fortifier et le calmer. L'alcool s'imposa également comme un réconfort. La *gnôle* des tranchées, que les poilus appelaient parfois le **pousse-au-crime** ou le **remonte-moi-le-moral** en offre un héroïque exemple.

58

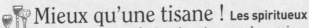 Mieux qu'une tisane ! **Les spiritueux furent aussi employés** dans le traitement de certaines maladies. Avant de devenir des boissons dignes de clore les repas les plus fins, les digestifs furent d'abord un remède pour les affections gastriques. Ce fut notamment le cas du **pacharan**, une liqueur de prunelles encore très appréciée au Pays basque. L'alcool servit également à combattre la fièvre, comme l'aurait été une tisane. C'est ainsi qu'il devint la **tise** dans les banlieues parisiennes ! Si bien des usages médicinaux de l'alcool sont oubliés, quelques-uns subsistent.

> « – J'la crève, viens-tu prendre un glace chez l'bougnat ?
> – Qu'est-ce que tu t'enfiles : une pure, une amazone,
> une tomate, une hussarde ou une mominette ?
> – Un guindal de pivois sans lance.
> – J'ai soif, viens-tu prendre une consommation chez le
> charbonnier ?
> – Qu'est-ce que tu bois : une absinthe pure, une gommée*,
> avec grenadine, très forte ou un petit verre d'absinthe ?
> – Un verre de vin sans eau. »
>
> Dictionnaire argot-français par Napoléon Hayard.
> *Une absinthe avec un trait de sirop de gomme.*

Prendre une bonne ponce reste un remède apprécié par certains Québécois en cas de gros rhume ou d'insomnie. Mélange d'eau chaude, de gin, de sucre et de jus de citron, la **ponce** est en effet aussi revigorante qu'un bon **grog**, réalisé avec du rhum.

 L'arc-en-ciel dans un flacon
L'eau-de-vie qui sort de l'alambic est incolore, comme l'indique le nom de **blanche** qui lui est donné en Charente. C'est en vieillissant lentement dans des fûts, pendant que s'échappe la **part des anges**, qu'elle prend une couleur ambrée. Néanmoins, l'art des liquoristes conduisit vite à l'apparition de spiritueux vivement colorés. Très en vogue au XVIIIe siècle, la *liqueur du parfait amour* possédait une belle teinte carmin. D'autres liqueurs, à cette époque, comme le **scubac**, pouvaient être jaunes, vertes, bleues ou violettes. Aujourd'hui encore, de nombreux alcools réjouissent les yeux avant de réchauffer les cœurs, songeons notam-

D'OÙ VIENT LE MOT GROG ? Sa légende est belle. Il découlerait en effet du surnom de l'amiral anglais Edward Vernon, surnommé *Old Grog* en raison de son goût pour les habits de gros grain, *grogram*. Celui-ci aurait inventé cette préparation en demandant à ses marins de couper leur ration de rhum avec de l'eau et d'y ajouter du jus de citron, un précieux antiscorbutique dans les années 1730. ■

60

ment à la *chartreuse*, verte ou jaune. Nées au XIXe siècle, et longtemps restées translucides, les liqueurs d'écorces d'orange amère de Curaçao composent, quant à elles, un véritable arc-en-ciel : il en existe des rouges, des jaune-orangé, des vertes et des bleues !

Tord-boyaux **Jusque dans les premières décennies du XXe siècle,** tant que le vin ne fut pas réellement envisagé sous l'angle de son degré d'alcool et que la satisfaction des paysans importa aux parlementaires, il fut généralement entendu en France que le mauvais alcool ne pouvait provenir que des distilleries industrielles. S'il se tirait vraisemblablement des mélasses de betterave un alcool quelconque voire franchement médiocre, les Lorrains diraient du **chien**, la réalité était tout autre. Le caractère particulièrement délétère de la **robine** (voir p. 19) que fabriquent artisanalement et illégalement quelques agriculteurs québécois en est un bel exemple a posteriori…

Produire dans la clandestinité nécessite la plus grande discrétion possible. À Madagascar, la distillation de la canne à sucre en vue de l'obtention du **toaka gasy** (alcool malgache) est aujourd'hui illégale mais largement pratiquée. Aussi en parle-t-on sans le nommer, en l'appelant **tégé** ou **tango golf** ! Pareils *tord-boyaux* pèchent souvent par une très forte gradation alcoolique. Tel était aussi le cas du **vin bleu** de Nouvelle-Calédonie, l'alcool à brûler que certains consommaient il y a encore quelques décennies.

63

De la fée verte au petit jaune

Mise au point dans les dernières années du XVIIIᵉ siècle, l'absinthe eut son temps de gloire entre 1830 et les années 1910, qui furent celles de sa prohibition en Suisse (1910) puis en France (1915). L'absinthe était alors la *fée verte*, la muse de nombreux poètes et artistes. En fin de journée, il y avait l'*heure verte*, le moment où les nombreux amateurs dégustaient rituellement leur boisson favorite. Marcel Pagnol et beaucoup d'autres décrivirent admirablement l'art de bien utiliser la cuillère à absinthe. Cependant, à force d'**étouffer des perroquets**, les amoureux de l'absinthe sombraient dans un alcoolisme grave, si bien que l'idée se répandit dans l'opinion que l'absinthe rendait fou. Dans les années 1900, boire une absinthe se disait parfois, dans les quartiers populaires de Paris, « prendre un train direct » [pour l'asile de Charenton]. Dans les années 1920, les industriels qui produisaient de l'absinthe se reconvertirent dans la fabrication de spiritueux anisés. En 1932, le mot *pastis* apparut sur les bouteilles d'une maison marseillaise : le *jaune* était né !

Routes du rhum

Dans les îles sucrières des Antilles et de l'océan Indien, le rhum est plus qu'une boisson, c'est une culture. À la fin du XVIIᵉ siècle, Jean-Baptiste Labat ramena de son voyage aux îles de l'Amérique d'intéressantes observations sur l'*eau-de-vie de canne*. Fabriquée dans des *vinaigreries*, elle était localement appelée **guildive** par les planteurs et **tafia** par les esclaves. La partie de cette eau-de-vie « très forte et très violente » qui n'était pas vendue intervenait dans la ration alimentaire de la main-d'œuvre servile de la plantation. Le nom de *rhum*, qui dérive du terme *rum* qu'employaient les habitants des colonies anglaises pour désigner cette boisson dont ils étaient grands consommateurs, ne s'imposa que plus tard. Au cours du XIXe siècle, la profonde transformation de l'activité sucrière antillaise conduisit à l'apparition de deux grands types de rhum : le *rhum industriel* produit par de grosses unités à partir de mélasse de canne, et le *rhum z'habitants*, obtenu dans des plantations isolées à partir du jus de canne. Ce dernier devint plus tard le *rhum agricole*. Dans les îles de l'océan Indien, le rhum fut appelé **arack**. À la Guadeloupe, le rhum, ou **lodifé** (eau de feu), se trouve au centre de divers rituels et de nombreuses croyances populaires dans toutes les îles, où il est fabriqué et abondamment consommé pur ou *arrangé*.

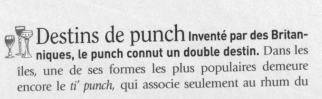 **Destins de punch** **Inventé par des Britanniques, le punch connut un double destin.** Dans les îles, une de ses formes les plus populaires demeure encore le *ti' punch*, qui associe seulement au rhum du

sucre et quelques gouttes de jus de citron. Pour sa part, la France continentale découvrit le punch dans les années 1780. À la faveur de l'anglomanie, le mélange de rhum, de sucre, de jus de citron, de thé et d'eau bouillante qu'elle adopta sous ce nom-là devint rapidement très en vogue. En 1803, Charpentier de Cossigny écrivait : « On fait maintenant du ponche au rome à Paris dans tous les cafés et l'on en consomme beaucoup dans les ports de mer et sur les vaisseaux : l'usage de le prendre chaud et très fort en spiritueux a prévalu. »

 ## L'alchimie des cocktails Les cocktails proprement dits sont une invention états-unienne

de la seconde moitié du XIXe siècle. Il s'agit de mélanges plus ou moins alcoolisés servis après avoir été combinés avec de la glace pilée et agités dans un *shaker* (mélangeur à cocktail). Dans la France des années 1930, les avis restaient très partagés à leur sujet. Certains en étaient des défenseurs zélés, d'autres leur reprochaient de faire disparaître la saveur propre à chacun des ingrédients qui les composaient et, pire encore, de mettre en péril la santé des femmes du monde oublieuses de leur nature alcoolisée ! Longtemps restés un plaisir réservé à la clientèle des bars des grands palaces, les cocktails classiques ont souvent des noms à consonance étrangère (Gin Fizz, Cuba Libre, Margarita, Mojito, Bloody Mary, Piña Colada…). Néanmoins, le cognac et d'autres spiritueux français sont des ingrédients nécessaires lors de la préparation d'un grand nombre d'entre eux.

65

6 Autour d'un café

67

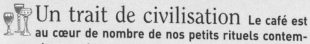

Un trait de civilisation Le café est au cœur de nombre de nos petits rituels contemporains et de nos relations sociales quotidiennes. *Express* ou *décaféiné*, il est devenu un produit nécessaire à la plupart d'entre nous. Dans les Hautes-Alpes, celui qui déclarerait qu'il n'aime pas le café apparaîtrait bien plus étrange que le **cafetiaïre** qui en boit à longueur de journée, comme en Ardèche où les gens se sont habitués à voir des amateurs **cafeter**. Il y a là les signes d'une indéniable familiarité avec le café et quelques indices de son caractère récent, car les mots qui qualifient le gros consommateur de café furent forgés dans des sociétés où l'usage de cette boisson restait remarquable. En effet, en dehors des villes, où il se popularisa parfois dès la fin du XVIIIe siècle, la consommation régulière de café demeura très longtemps le fait presque exclusif des notables. Au début du XXe siècle, dans certaines provinces, les paysans ne buvaient du café qu'à l'issue des repas de fête !

Prendre un café Boire un café signifie à l'ordinaire ingérer un liquide brûlant et amer, autant dire que cela n'a rien de naturel ! L'affection que porte notre civilisation au café est proprement culturelle. Il suffit de voir le dégoût de bien des Français lorsqu'ils découvrent le *maté*, une infusion très répandue en Amérique latine, riche, brûlante, amère et… riche en caféine. En fait, tout ce qui nous semble si facile et normal dans la façon de prendre un café est le produit d'un conditionnement culturel.

Boire le contenu d'un mazagran ou celui d'un gobelet en plastique debout devant un distributeur de boissons consiste à réaliser correctement des gestes que nous avons appris. Voici pour s'en convaincre comment l'abbé Cosson, peu habitué à cette boisson, but sa tasse de café au cours d'un dîner mondain à la fin du XVIIIe siècle : « Il était brûlant, je le versai par petites parties de ma tasse dans ma soucoupe ! »

Au goût de chacun Il existe de très nombreuses façons de préparer le café.

Le kaoua (ou caoua) d'un Maghrébin n'a pas toujours le même goût que le **bédot** d'un Ardennais ! Chacun y trouve son compte, l'amateur de café filtre et les diseuses de bonne aventure qui, pour des raisons professionnelles, préfèrent un café servi avec son marc, comme celui que les Tunisiens appellent *café maure*. Le café s'apprécie plus ou moins fort. C'est une affaire de goût personnel, mais aussi une question d'habitudes régionales et de mode. En Louisiane, le **café acadien**, très fort et brûlant, rencontre traditionnellement de nombreux amateurs. Une influence italienne est très nettement perceptible dans l'engouement actuel pour certains cafés obtenus grâce à des machines dotées d'un percolateur. Le **ristrette** suisse, un café serré, procède directement du café **ristretto** d'outre-Alpes. Pour ceux qui préfèrent des cafés moins corsés, il existe toujours la possibilité de commander ce que les habitants de la Vallée d'Aoste appellent un *café long*, moins concentré parce que plus allongé d'eau.

CAFÉ OU CAOUA ?
Le mot *café* vient du turc *kahve*. En effet, c'est par Venise et les Turcs que cette boisson fut connue. Le premier cabaret, un *cabaret de cahué* (1662), aurait été ouvert à Marseille en 1654. Mais le café aurait été introduit à la cour en 1669 par l'ambassadeur de l'Empire ottoman Soliman Muta Ferraca — qui inspira à Molière *Le Bourgeois gentilhomme*. Caoua, mot familier apparu en 1863 en argot, vient, quant à lui, de l'arabe *qahwa*, qui désigne le café. Ce sont les militaires français présents en Algérie qui ont diffusé ce mot en France dans les années 1880. *Café* turc ou *caoua* arabe ont la même origine, l'arabe *qahwa* qui viendrait du nom d'une région d'Abyssinie (actuelle Éthiopie), *Kaffa*, berceau du caféier. ∎

L'univers des cafés au lait

Le « cafè » blanc, comme le nomme les Ardennais, a une longue histoire. À la veille de la Révolution française, il était déjà apprécié des ouvriers parisiens, qui l'achetaient à des marchandes ambulantes. Économique et nourrissant, il s'imposa parmi les nourritures classiques du petit-déjeuner. Selon la quantité de lait qu'il contient sa couleur et son nom changent. En Suisse, le **café renversé**, par exemple, est celui dans lequel le lait domine. En fait, les habitants de chaque région de la francophonie possèdent du café au lait une idée qui leur est propre. D'où les surprises qui attendent les voyageurs ! Un français qui demanderait en Belgique un *café au lait* verrait le serveur lui apporter un café accompagné d'un petit pot de crème (ce qu'un Parisien appelle un *café noisette*). S'il avait demandé un **lait russe**, le garçon lui aurait apporté ce qu'il espérait, du café mélangé avec du lait.

Café à l'eau... de vie

Arroser le café d'une bonne rasade d'alcool fort est une habitude ancienne. Au début du XXᵉ siècle, le **café consolé**, c'est-à-dire renforcé par un **gouttin** d'eau-de-vie de cidre, était pris au cours du premier repas de la journée par toute la famille, enfants compris, dans les milieux populaires normands. En Basse-Normandie, à la fin des grands repas, le café se faisait *tricolore*, arrosé de calvados, de rhum et de kirsch. **Bistouille** du Hainaut, **tout ensemble** de Berck ou **jambinet** normand, bien des cafés mêlés d'eau-de-vie racontent une relation avec un alcool qui renforce et réconforte.

Avec ou sans sucre ? Sans sucrier, un service à café est incomplet.

L'amertume du café est en effet depuis longtemps une parfaite justification pour ceux qui veulent donner libre cours à leur penchant pour le sucré. Dans les Ardennes, certains aiment boire le café **à la noquette**, en croquant le sucre à part. Dans le Pas-de-Calais, d'autres préfèrent boire le café **à la sucette**, en trempant un morceau de sucre dedans. Risques de diabète et peur de grossir conduisent aujourd'hui beaucoup de consommateurs de café à éviter l'abus de sucre. Les uns décident de boire le noir breuvage tel qu'il sort de la cafetière, les autres choisissent de recourir à des comprimés d'édulcorant, plus joliment appelés *sucrettes*.

Jus de chaussette et café bouilli

Pour un amateur de café, il est une chose parfois pire que d'en manquer, c'est de devoir boire du *jus de chaussette*, de l'*eau de vaisselle* (Québec), de la **trébouline** (Hautes-Alpes). Souvent, ce mauvais café déplaît parce qu'il est jugé beaucoup trop clair. Tel est le cas de la **lapette** belge, de l'**eauwotte** (petite eau) lorraine, du **pissart de bibe** (de moucheron) des Seychelles ou du **pissit de bourrique** champenois. Un tel café trop dilué peut être obtenu à la suite d'une erreur de dosage, mais il peut être aussi la conséquence de la misère ou de la pingrerie. En effet, en utilisant à plusieurs reprises le même marc, il se prépare ce que les Dauphinois de Vourey appellent de la **retrouille** et les habitants de Calais de la **rapassure**, une **lavasse** des plus claires. Un moment d'inattention et le meilleur des cafés mis à chauffer peut devenir **bouilli** ! Cet accident fait immédiatement déchoir, comme le rappelle un dicton bien connu dans de nombreuses provinces : *café bouilli, café perdu (foutu)*.

Le café... sans café **En Picardie, la chirloute est un café qui n'est guère apprécié** parce qu'il contient trop de chicorée. Pour sa défense, nous pourrions remarquer qu'elle a le mérite de contenir un peu de café ! En effet, il existe des cafés sans café, les plus âgés d'entre-nous n'ont que trop bien connu, au temps de l'Occupation, le *café* **national**, exclusivement composé de succédanés (gland, orge, etc.). Mais ces ersatz n'attendirent pas les heures les plus sombres du XXᵉ siècle pour apparaître. Une brève « excursion » dans l'histoire du café permet en effet de découvrir une série de compositions plus ou moins frauduleuses, aux noms toujours très bien trouvés. Il y eut notamment le *café de santé* composé de riz, d'orge, d'amandes et de sucre (1785), le *petit café* qui n'est autre chose qu'une poudre de froment torréfié (1824) et le *café indigène* fabriqué à partir de maïs (1836).

« *Au moulin de Frichsel, les écrevisses sont savoureuses, le gigot fond sous la dent, et un château-fombrauge de première commence à rosir les pommettes de la mignonne. Pas de suspense, pour le café du pauvre, c'est dans la fouillette !* »

Albert Simonin,
L'Élégant (1973).

72

LA BOISSON CHEZ UN MENUISIER-CHARPENTIER DE TANGER (1855)
« La famille boit de l'eau et du thé à tous les repas. L'usage du café n'est que fort peu répandu au Maroc, et celui du thé a prévalu, grâce à l'importation anglaise de cette denrée économique. Les Marocains prennent cette boisson très sucrée et mélangée de menthe. Le maître, persuadé que le vin de France est pour lui un fortifiant indispensable, fait secrètement un usage modéré de cette boisson défendue par la loi. » ■

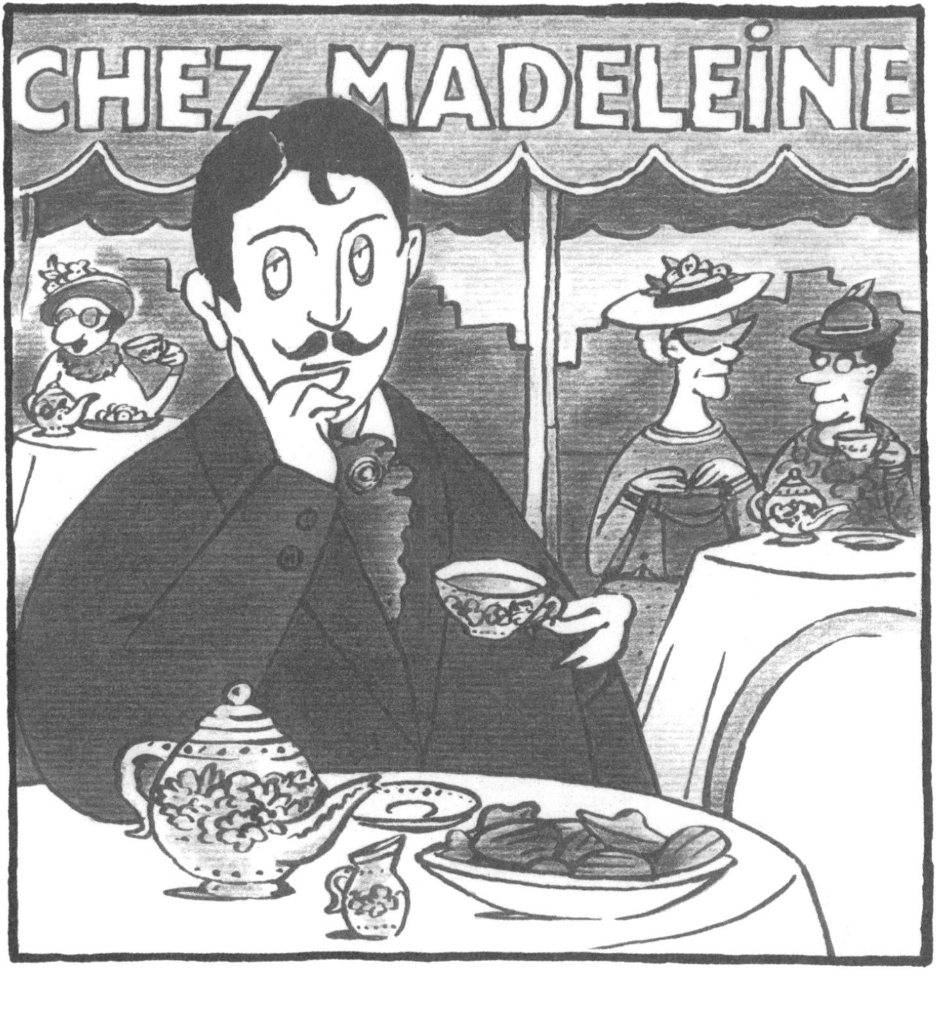
CHEZ MADELEINE

Pour en finir avec le café

Si le café prend aujourd'hui une place considérable dans nos paysages alimentaires, il n'est pas la seule boisson chaude appréciée des francophones. Le thé et le chocolat méritent quelques mots. Introduit en France au cours du XVIIᵉ siècle, l'usage du thé y demeura longtemps l'apanage exclusif d'une élite fortunée. Très tôt, celle-ci apprécia de le boire dans des **chiques** de porcelaine ou de faïence parce que celles-ci permettaient d'éviter de se brûler les doigts et de faire montre de distinction en buvant le thé. Hors de France, le thé eut d'autres destins. Dans le courant du XIXᵉ siècle, le *thé à la menthe* devint une boisson populaire dans les pays du Maghreb. À la même époque, la *boîte à thé* trouvait une place dans de modestes demeures du Québec, contrée où l'on prépare parfois du **thé de sève** en faisant infuser les feuilles de thé dans du suc d'érable. Le chocolat, pour sa part, resta en France, à quelques exceptions régionales près, une boisson consommée par une élite jusqu'au XIXᵉ siècle.

Préparé dans une *chocolatière*, dans laquelle il était travaillé à l'aide d'un **moulinet (moussoir)**, le chocolat était parfois servi dans des tasses spéciales, les *tasses trembleuses*. Celles-ci, grâce à une large soucoupe dotée d'un anneau central, permettaient de boire son chocolat tout en prenant part à une conversation mondaine, sans risquer de se tacher. Avec l'industrialisation de la fabrication du chocolat, ce fut surtout sous sa forme solide qu'il se démocratisa. Néanmoins, certaines boissons cacaotées devinrent très populaires, s'offrant comme une alternative possible au *café frappé*.

74

Dernier verre... derniers mots

Le **coup de l'étrier**, ce dernier verre qui se prend avant de se séparer à l'issue d'un bon repas, a une longue histoire. Longtemps il fut le *vin de l'étrier*. Pour certains, il devait être bu avant d'aller rejoindre les chevaux, pour d'autres, quand les cavaliers avaient déjà les pieds dans les étriers, d'où son nom. De plaisantes histoires existent à propos de cette tradition. Au début du XVIIIe siècle, Saint-Simon en inséra une délectable dans ses *Mémoires*. Le héros en était un buveur patenté : « Il leur proposa, étant monté à cheval pour s'en aller, de boire le vin de l'étrier ; qu'ils firent apporter des bouteilles, et lui présentèrent un verre ; qu'il leur dit que ce n'était pas ainsi qu'il buvait le vin de l'étrier, et que jetant sa botte il l'avait fait remplir et l'avait vidée ! » Après une soirée bien arrosée et un coup de l'étrier, le plus dur est parfois de retrouver le chemin de son domicile. Mais au temps des étriers, il y avait des chevaux ! D'où l'adage : *Après bon vin, bon cheval*. À la différence d'une automobile, un cheval retrouve toujours le chemin de son écurie. Autre temps, autres buveurs !

75

Pour aller plus loin...

- Marie-Agnès Bernardis (dir.), *Le Grand Livre de l'eau*, Lyon, La manufacture, 1995.

- Claudine Fabre-Vassas (dir.), *Boire, Terrain. Carnets du patrimoine ethnologique*, 15, 1989.

- Marcel Lachiver, *Vins, vignes et vignerons*, Paris, Fayard, 1988.

- Lucien Logette (dir.), *La Vigne et le vin*, Lyon, La Manufacture, 1988.

- Didier Nourrisson, *Le Buveur du XIXe siècle*, Paris, Albin Michel, 1990.

- Anthony Rowley et Jean-Claude Ribaut, *Le Vin, une histoire de goût*, Paris, Gallimard, 2003.

76

Index

77

Dans la même collection

Ripaille et marmitons, les mots de la table
Cache-cache et chat perché, les mots du jeu

N° d'éditeur : 10144267
Dépôt légal : octobre 2007
Imprimé en France
Imprimerie Pollina - n° L44508